Faire récolte

Zachary Richard

Faire récolte

COLLECTION ACADIE TROPICALE
LES ÉDITIONS PERCE-NEIGE

22-140, rue Botsford
Moncton (N.-B.)
E1C 4X4 CANADA

Conception graphique : Paul J. Bourque.
Photo de la couverture : Philip Gould.
Photo de l'auteur : Brian Ashley White.

ISBN 2-920221-55-8

Dépôt légal troisième trimestre 1997, BNC et BNQ.

Distribution en librairie :
Diffusion Prologue
1650, boul. Lionel-Bertrand
Boisbriand (Qc) J7E 4H4
Tél. : (514) 434-0306/1-800-363-3864
Téléc. : (514) 434-2627/1-800-361-8088

La production des Éditions Perce-Neige est rendue possible grâce
à la contribution financière du Conseil des Arts du Canada et
de la Direction des Arts du Nouveau-Brunswick.

Faire récolte

J'habite dix acres de terre au fond de la campagne louisiannaise, mais malgré le jardin et le verger, je ne gagne pas assez d'argent avec ma récolte pour prétendre être récolteur (les vrais ne font pas d'argent non plus). Ce titre est donc une façon de me légitimiser auprès de mes voisins. Je vais leur donner un exemplaire en précisant le titre, et comme ils ne peuvent pas lire le français, (les Cadiens sont en majeure partie illéttrés dans leur langue) je pourrais faire croire qu'il s'agit d'un almanach agricole et je vais gagner du prestige dans mon petit coin de pays. Ou bien, ils vont rien comprendre et cela va simplement confirmer leur soupçon : que je suis étrange. N'empêche, j'associe très délibérément ce recueil avec le fermier, avec l'homme de la terre. Non pas parce que j'habite une campagne agricole, ou que mes ancêtres étaient tous habitants, en Louisianne, en Acadie, et encore plus longtemps avant en France, non parce que les thèmes de mes poèmes sont souvent provoqués par la nature, mais parce que le travail du fermier est symbolique, pour moi, de la création poétique. Symbolique d'une façon évidente et superficielle, (planter la graine, travailler la culture et faire récolte, comme recevoir l'inspiration, travailler le vers, et le finir; ou bien que l'agriculture et la poésie fournissent de la nourriture, l'une du corps, l'autre de l'esprit) mais symbolique aussi d'une façon plus profonde. Avec la poésie comme l'agriculture, on est engagé dans une collaboration avec des forces qui peuvent devenir, selon les conditions, soit des adversaires, soit des alliées. Dans les deux cas, le fermier et le poète agissent dans une dimension spirituelle où certains éléments restent mystérieux et incontrôlables. Une part du succès du récolteur, comme celle du poète, dépend d'une puissance, une énergie qu'on peut ni décrire ni imaginer, mais qu'on essaye de rejoindre et de diriger d'une façon positive.

Au bénéfice des étrangers, j'inclus un glossaire d'expressions cadiennes à la fin du livre.

Nuit blanche à Moncton

à Gérald Leblanc

Filles candides aux
Seins fermes la
Beauté de l'amour
La nuit dans
Garochement je suis
Contre ta bouche
Contre ta volonté
Fuir de te
Coller je suis
Contre toi l'espace
Que tu me
Donnes entre
La Grosse Lèvre et
La Lèvre Inférieure.

À l'aube la trace
D'orange qui
Précède le blanc.

II

Cette nuit je te voyais
Comme travers une vitre obscure.
Je t'appelais comme
Un loup sur
La montagne les
Ailes de la tristesse,
Voyage à la mi-lune
Les feuilles déjà
Qui changent.

17 septembre 1980, Lorne Crescent.

Haïku de la deuxième journée d'automne

Deuxième journée d'automne
Premier coup de froid.
Ciel bleu sans nuage.

23 septembre 1980, Montréal.

Après pensée:
Sentir le vide
Le remplir
Sans le violer.

Haïku de la troisième journée d'automne

Journée de pluie
Juste bon pour
Passer au lit
Faire l'amour deux ou trois fois.

(Elle disait que bientôt
Y'aurait plus de feuilles
Sur les arbres.)

Haïku de la cinquième journée d'automne

Un dernier regard
        Pour dire tout
                Ce qu'on n'aura
                        Jamais le temps
                                De dire.

Trois-Rivières, 27 septembre 1980, à CT.

Surhaïku de Kildie

Au coucher de soleil
Kildie volait vers l'ouest,
Cherchant cigale pour souper.

6 novembre 1980, Aux Chênes du Marais.

Haïku de la pleine lune levée

Sur l'est horizon
La pleine lune qui se lève,
À l'ouest, le soleil couché.

La dernière journée d'hiver, 19 mars, North Scott Ghetto.

Haïku de la première journée du printemps

je t'aime je t'aime je t'aime
    je t'aime je t'aime je t'aime
        je t'aime je t'aime je.

Au Chantier de Bois

Chaud toute la journée
Sauf vers trois heures
Et demie l'après-midi
Le vent du nord
Se garoche travers le clos.

On le voyait venir
Grand coup de glace
Ciel foncé proche
Gris venant depuis
Chez Madame Roger.

Les vieux charpentiers
Sifflaient dans leurs dents,
«O, yaie, ça commence
à faire froid!»

Et pas longtemps après,
Ils ont rangé leurs outils
Et ils sont partis.

12 décembre 1980, pendant la construction de ma maison,
aux Chênes du Marais.

Cris sur le bayou

Comme si c'est trop tard,
Comme si la bataille était perdue,
Tout le monde proche de
S'retourner de bord et
Courir se cacher dans le grand bois.
Comme si aucune graine
Poussait dans la terre
Séche et poussièreuse
Et la Saint-Médard s'annonçait
Sans pitié.
Comme si rien,
Même bien amarré,
Pouvait résister
De se faire garocher
D'un bord à l'autre
Dans le vent grand comme
Le Plus Gros Ouragan.
Comme si la charité et l'espoir
Nous avaient abandonnés,
Et que ni les hommes,
Ni les animaux, ni les plantes,
Ni les pierres, ni les microbes
Ni les atomes, ni les soupçons
S'entendaient, mais se lançaient
Des grimaces et des insultes,
Des trahisons et des injures et
Des coups de poing dans le noir,
Dents grinçants, yeux rouges,

Et que les courageux
Avaient tous tombés
Comme des chênes blancs
À la fin de leur temps,
Laissant un silence
De cercueil sauvage
Étouffant inspiration,
Enlèvant tout
Même conception
De la fin subie.

Quand le vent
Est tombé brut,
Soudainement silence propagé
Comme un brouillard
De pestilence et de noir,
Plus grand silence
Qui pourrait jamais avoir
Écrasé sur
Le sud-ouest de la Louisianne,
J'ai entendu un cri.

Un cri sur le bayou
Comme j'avais jamais entendu.
Fort et résonnant
Comme un cocodris au fond du marais
Comme le roi des cocodris
Ses poumons remplit de musique,
Splendide comme le cri d'un feurset
Courtisant le soir,
Comme un marlion
Au fin fond du ciel,
Un cri tranquille et beau,
Comme une ange,
Comme la voix de dieu
Parlant à son amant
Après avoir fait l'amour:
Un cri venant
Loin loin là-bas,
Loin loin dans bayou.

Et mon cœur s'est mis
À battre comme pour
Casser ma poitrine,
Et sans faire le moindre petit train,
J'ai regardé autour de moi,
Furtif, me demandant si
Quelqu'un d'autre
L'aurait entendu

Aussi.

29 janvier 1981, North Scott Ghetto.

Aux ancêtres

Chercher mon oncle
Lui donner un petit drink
De ma bouteille,
Soulager une grande soif.

Ma chère grand-mère
Qui voulait plus me voir,
Soûl comme un tchoque
Au milieu de la nuit
Après chercher
Son tombeau
Au milieu
Du cimetière.

Gone loin dans
L'incertitude,
Tchoque.

Sacrifice.

30 janvier 1981, au défunt Zachary Richard, né le 8 septembre 1913, mort le 23 février 1936.

Dans leurs trous

Après mouiller la nuit
Grosses gouttes de pluie
Tard vers les trois heures moins
Quart de lune cachée
Par ciel lourd et foncé
Mouillage pas rien
Après grouiller
À part les écrevisses
Dans leurs trous.

22 février 1981, 2h.45 a.m., North Scott Ghetto.

Presqu'Haïku des outardes

Deux outardes se battent
        Contre le vent du nord.
                Disparaître l'un dans l'autre.

(Samedi juste à midi
        Vent s'est levé.
                Mouillait toute
                        La soirée.
Tonnerre dans la nuit.
Mangé gumbo chez Pauline,
N'oncle Badé apé mourir.
Vent de l'ouest
        Secouait la cabane.
                Tourné en vent
                        Du nord.)

22 mars 1981.

Haïku avalasse de printemps

Ciel couleur de plomb et
        Dans la nuit grosse pluie
                Tombait sur la maison.

29 mars 1981, North Scott Ghetto.

Hibou dans la nuit

Hibou dans la nuit
me rappelle
la première
fois.

1er avril 1981, North Scott Ghetto.

Trente-trois aigrettes

Journée de Pâques
        Trente-trois aigrettes
                Volaient au-dessus
De la maison.

Haïku de la sécheresse d'avril

Journées sèches et
        Sans pitié, grosses
                Nuages passées
Sans laisser une goutte.

22 avril 1981.

La première rencontre

J'étais le premier arrivé
        Earlene est arrivée en
                Deuxième tout
Le monde est
        Arrivé après ça.
                Y'avait du monde
Étranger on a parlé
        On a discuté
                Richard Guidry
S'est obstiné au moins
        Deux fois, une
                Fois avec moi
Certain. Jean Arceneaux
        Avait emmené
                De la volaille
Et de la barbu et on a
        Mangé en décidant
                De faire une
Veillée de temps en temps.

Fatras dans la chambre en
Avant après faire du train
Après s'amuser bien
Trop tard. (Chance qu'y'avait
pas de voisin).

Carl Doucet est
Parti tôt, tracassé
Pour son bébé,
Moi, je me suis soûlé
Comme une grive.

«La poésie est
souvent le silence»,
dit Isabelle.

Première journée en mai

Gros orages venus du nord
        Éclairs tonnerre et
                Beaucoup de pluie.
Les critchets chantaient
        Enfin leurs gorges
                Assez mouillées,
Chœur d'ouaouarons
        Résonnait travers
                La terre inondée.

4 mai 1981.

Haïku de la Saint-Médard

St-Médard nuageux sans pluie
Soleil brillait la plupart du temps.

Semer gazon dans la cour. 8 juin 1981.

Faire récolte

Faire chaud assez pour
        Enlever tout courage,
Mouillait l'après-midi faire
        Pousser les herbes.
La plantation en bon ordre,
        Sauf dans le creux du Marais.

Si ça mouille comme ça,
        Fin de journée non pas
L'avant-midi, récolte sera
        Tout grand et monifique.

Si pas avoir
        de l'ouragan.

27 juillet 1981, Aux Chênes du Marais.
(Dans la nuit du 22, retourner en Louisanne, chaleur et humidité étouffante. Jefferson, St-Jean, St-Jacques, L'Ascension, Est Baton Rouge, Ouest Baton Rouge, Iberville, St-Martin, et Lafayette, chemin de nuit fatigué et presque soûl).

Fin-Goodbye-O.K.

I have chosen to destroy
The images of those who
Have come before me, Amon
Ré de l'Égypte de la
Crypte de l'ancien mal
La lune au-dessus de l'Abitibi
Pow Wow Force Chemin Grand
Vaste et du Nord Espoir
De Lunatique de trouver ton
Numéro dans le ciel je
Crois que nous sommes perdus je
Crois que nous sommes
Mieux séparés par l'océan devant
Moi entre toi et moi
L'océan vaste et plein de
Vagues sans ça nous serons
Déjà perdus.

Où toi tu es,
Moi je serai aussi.

Rempli de joie.

Rempli de mal.

19 août 1981, Ottawa, Capital des Canadiens. Sans avoir manger, à Gaston et Gerry, perdus dans le brouillard.

Grande ruée

Grande ruée
Dans la ruelle
Mon tabernacle
Mon Open House
Ma Dernière Goutte de
Soulagement Soif
L'étoffe de la nuit
Tournée autour de
Ma tête,

La bête enragée.

Mont Réal, 31 août 1981, 3 h 50 min. 01 sec., 18° Celcius.

Poisson

Fleurs d'automne
Bleu, violet et jaune,
Fretin barbu dans
La coulée.

18 septembre 1981.

Bonne place

Canré Fontenot at the
Festival Acadien. Arrivé
en retard et soûl,
Pauvre chien et misérable. Nuage
de poussière mirage au-dessus
les danseurs magie de la
Tribu, gratter à la bonne place,
Appuyer comme il faut.

Bois-Sec a joué et Monsieur
Octa et Hector Duhon,
D. L. Menard et
Canré, parce que personne le voulait,
Avec nous autres.

19 septembre 1981.

Haïku fin de septembre

Fin de septembre
        Journée chaude ciel bleu
                Sans aucune trace
De l'automne.

25 septembre 1981.

Après si tant de sécheresse

Après si tant de sécheresse
        Enfin la pluie tombe
                Cet après-midi.

Le temps change.
        Vent frais du nord.

1 octobre 1981, Aux Chênes du Marais.

22 novembre

(Rain all night,
Rain all day).

Après mouiller depuis
        Ce matin
                La pluie
S'en venir plus
        Fort avec la
                Tombée de soirée,
Le vent qui
        Se lève grosses
                Gouttes comme
Des clous frappaient
        Le toit et
                Marécage partout.

Aux Chênes du Marais.

Presque Haïku 25 novembre

(Cloud cover breaking and gone)

Y'a du vent
    Mais ça arrêté
        De mouiller.

Vers neuf heures du soir
La pluie a commencé
Ma pauvre maison pas encore finie
Les planches de chevron
Gardiens de la nuit
Seuls et tristes, milieu
De la prairie nue.
J'ai peur que la pluie
Va trop gonfler le bois.
Ç'après tourner froid aussi,
La main sauvage de l'hiver.

Coldest Day Of The Winter

Après mouiller toute la journe
        S'il faisait juste un peu plus
                Froid, ça tournerait en grêle.

4 février 1981, North Scott Ghetto.

Brouillard

Brouillard si épais
Que tous lapins
Manquent les
Phares des
Automobiles
Qu'avant que
C'est trop tard.

Janvier 1981, Aux Chênes du Marais.

Jeune loup

je vois lumière
        haut dans ce
        bâtiment de ville
je vois la lune
        j'entends son cri
                de la montagne
en echo
        de troisième ou
                quatrième passage
pas de nuage pour
        se cacher,
                plus d'instinct
        pour se sauver,
jeune loup
        patte en piège.

pourquoi tu m'appelles
                si c'est que
        pour me dire
que tu m'aimes plus.

Mont Réal, 9-10 octobre 1981.

Gris

Vent du nord soufflait
Grand travers les planches
L'hiver qui s'en vient.

Vent d'hiver gris couleur
De vieux couteau.

II

Journée couleur de plomb
s'éclaircir à l'après-midi
s'embrouiller à la tombée
de la nuit.

Chasseurs dans la savanne
La grande mère du voisin
Passe à l'infini.

17 et 25 octobre 1981. Aux Chênes du Marais.

Haïku couper les fèves

Couper les fèves
        Cet après-midi,
                Petits lapins
Couraient partout.

29 octobre 1981.

Haïku première vue d'écrevisse

Après deux jours de pluie
        Nuages cassés écrevisses
                Sortaient des trous.

4 novembre 1981, Aux Chênes du Marais.

Brouillard sur marais

Brouillard sur marais
        Solitude dans la brume
                J'entends ton nom
Comme un chat qui
        Miaule toute la nuit
                Comme un homme
Seul dans la brume
        On est foutu
                Sans appel
Ton amour enveloppe
        Mon âme comme
                Ce brouillard
Enveloppe ma vue.

dernier quart ascendant
la lune en Cancer
maringouins en novembre.

Eleventh month T'ai. Flock of duck flying north at nightfall.

Chaleur

Après mouiller
Doucement comme
Nuage fondu.

3 décembre 1981, Déménagement du Ghetto.

Brouillard

Brouillard si épais
pouvait casser marteau
Couper doucement
au milieu dedans.

On voit moins d'étoiles filantes
à ce petit quart de lune.

On voit proche pas le
chemin du tout.

On est pris dans un gris
lourd et mouillé
Après avoir jouer aux Opelousas
vendredi et samedi de suite.

Malpensé, malhonnête, malfaiteur,
gaime après chanter son réveille
Aux petites heures du matin.

Cocks crowing at 3:33 AM, North Scott Ghetto.

Avalasse

Grand vent du sud lourd
          De nuages de pluie,
                    Avalasse sur le marais.

(Moon in Sagittarius,
Mercury don't move).

22 janvier 1981, à Stevie Ray Vaughan.

Froid

Rendu à Monkville
        Dans la neige,
                Blanc sur blanc.
St-Ignace, Bouctouche
        Solo fratras rentrer
                Trop tard la nuit.
Lendemain verglas
        Agrippé sur ma route
                Talon de la glissière,
Roulait doucement pour pas
        Prendre le clos
                Neige piège invisible dans
Cette grande saison,
        Pas eu si froid
                Y'a si longtemps.

2 février 1981, Moncton.

Chez Louis Mailloux

Chez Louis Mailloux
        Caraquet sur la pointe
                Bateaux figés dans
La glace courir
        La baie, les pêcheurs
                Peltant la neige
Devant leurs maisons.

Rafale de vent dans
        Ce monde blanc
                Coupé silence
Comme couteau de
        Poséidon glacé.

5 février 1981.

Rabourer

Rabourer les clos,
Faire peur aux lapins,
Tourner la terre et
Les fleurs du printemps.

Ciel bleu sans nuage.
Déjà la chaleur.

Tomates, piments, concombres,
Transplantés et déjà dans le jardin,

Travail d'été qui commence.

18 mars 1981, aux Chênes du Marais, au dieu de la guerre.

Annonciation

(Le Saint-Esprit descend sur la Sainte-Vierge)

Si le temps est beau,
        la récolte sera bonne.
(C'était couvert mais
        ça pas mouillé,
Au moins durant
        la journée).

Menace de pluie à sept heures et quart
Le vent tombant aussi soudainement
        que ça paru.

Éclairs au nord et
        à l'est, le vent bouchant
La bouche du tonnerre.

25 mars 1981, aux Chênes du Marais.

Sécheresse

Sécheresse de sept fois sept jours
Poussière de terre couvert
Tout que'chose
Poussière restait dans la gorge
Sur la langue dans les yeux
Sans voir chaleur
Aveuglante la chair sous soleil
Si tant sans pitié.

Fort, fort et chaud
Brûlait l'été.
Sécheresse sans cesse
Sécheresse de trop

Longtemps.

11 juin 1981, Moon in Capricorn.

L'Arc-en-ciel

Mouillait l'après-midi
        Pluie comme belle
                Femme dansant devant
Mes feuilles,
        Ses courbes ondulées
                Autour feuilles, tronc
et racine. Sa bouche enceinte
        d'humidité, ses baisers
                Plantés sur mes plantes.

Arc-en-ciel
        nord sud sur
                l'est horizon.

16 juin 1981, aux Chênes du Marais.
If there be a rainbow in the eve
It will rain and leave.

Deux arcs-en-ciel

Revenu en Louisianne
        Mouillait off and on
                Pour trois jours.

Mont Réal Ottawa Rain Radio Studio
Mont Réal Jouer Dans la Rue.

Deux arcs-en-ciel
        Au-dessus.

Pluie

Vent du nord
Vent du sud
Pluie comme une
Médecine qu'avale
Le pays toutes
Les huit heures.

Mouillait après-midi
Tous les jours,
Et cette nuit
Vers une heure du matin
Mouille toujours.

Pluie fine bonne
Pour plantes feuilles
Branches et fruits.

Tante Mathilde passée aux esprits,
Berçant dans les bras du Seigneur
Qu'elle a si tant aimé.

Ciel couvert et
Souvent la pluie.

28 juin 1981, aux Chênes du Marais.

Haïku obscur

Brouillard sur le marais
Ça jamais été plus
Obscur que ça-là.

7 juillet 1981, aux Chênes du Marais.

Premier quart de lune en plein été haïku

Quart de lune
        Bercé dans le haut ciel
                Par Jupiter, Saturne et
Mars.

La Fête des Acadiens

Jean Arceneaux dort
        dans son lit sans
                entendre le
chien qui jappe.

Zachary Richard l'entend
        en rentrant du bal
                ce soir deux cents ans
Japperie la sagesse
        de l'ivrogne d'amour
                jalousie d'amour.

Sur la fête à Pauline Boudreaux
        quart de lune et
                un chien seul jappant.

26 décembre

Mouillait avalasse l'avant-midi,
        Les vaches du voisin
                Sur une île menacée.
L'eau qui monte toujours.

Tous les souris du pays voudront
        Rentrer dans la maison.
Jamais tant d'eau auprès
        De l'habitation.

Aux Chênes du Marais, 1981.

Grêle

Vent du sud comme coup de poing
D'un si grand gaillard, nom de Dieu.
Vent de l'ouest froid et gris
Couleur de glace foncée rencontrait
Courant du Mexique,
Menace de tournades
Sur la prairie.

(St-Augustin parti
en aventure. On
demande de ses
nouvelles, on
espère le mieux,
on craint le pire.
On voudrait qu'il
revient bientôt.)

Courant de glace,
Courant de chaud,
Bataille aux grandes altitudes
Au-dessus de la Louisianne.

31 janvier 1983, aux Chênes du Marais.

Haïku Mercredi des Cendres

Journée grise comme
couche de plomb
Couvrir la terre,
Peser sur mon esprit.

Premiers bourgeons

Premiers bourgeons du printemps
chansons au bout du pêcher
le figuier, le mûrier.
J'entends leur refrain,
«L'hiver est fini, vienne la verdure».

Seul le pacanier chante pas.

3 mars 1983, aux Chênes du Marais.

La paresse du dimanche après-midi

Sur la fête à Saint-Boniface,
Mouillait doucement tout
L'après-midi.

Paresse et juste envie
De faire pas rien.

6 mai 1983.

Têtu

Crieur, pétard, révolutionnaire,
    Mon semblable, mon frère,
Je te salue, et je t'embrasse.

On parle plus parlabré francé,
    Ici on parle n'importe quoi
Pour se faire entendre
    comprends-moi bien,
Ma grande-mère parlait
    la langue du roi
Mais nous sommes tous
    colonizés, o.k.
Ça va et ça vient.

Poètes parlant entre eux
    dans les bistros
        de Paris
Buvant plusieurs verres.

Regardant dans le miroir,
    (pardon, je veux dire «glace»!)
        j'ai vu l'ennemi
Ce soir comme si
    il était assis
        sur la galerie
Devant de chez toi.

Prieur, pétard, traître
        regardant dans ta glace
                quoi c'est que toi
T'as vu?
        toi et moi soyons
Chavirés
Annulés
Périmés
Plus Valables
        et bientôt
Oubliés
        Je te salue
        Je t'embrasse.

II

Cœur de cheval,
        Coureur, battement régulier
                Longue distance et
Haut plateau.
        Un pas devant l'autre
                pendant longtemps.

III

Nord Sud Est Ouest
Printemps Été Automne Hiver
Droite Gauche Devant Derrière
En haut En bas Avant Après

IV

De l'île de ma revanche
Je t'appelle à grand poumons
«Laisse-moi pas moi tout seul.»
Viens me chercher ici perdu
Dedans le grand bois noir.
Si j'avais les ailes des hirondelles
Je volerais travers le ciel
Jusqu'à sur ton côté.

Le message de notre sauvegarde
Était énigmé dans une langue
Inconnue, perdue des anciens temps.

Encore, mon frère, tu t'es soûlé
Avec la puissance de tes paroles
En te cachant dans un
Masque de Mardi Gras.
Nom de plume porté une fois par an,
La veille du grand Carême.

V

Cinq fois cette nuit
Je suis allé
Au bord de ton lit
Veiller sur ta fièvre
Te donner à boire.

Tu m'appelais de mon nom
Devenu de plus en plus
Faible travers ces
Lèvres sèches et gerçées,
«De l'eau, de l'eau fraîche,
À boire, de l'eau fraîche à boire».

Brailleur, Gueulard, Ami, Ennemi,
Musique douce jouée après minuit
Battement de rythmes mystérieux
L'héritage qu'on partage
Jour et jour jusqu'à la mort
Ni moi ni toi n'avons
Raison de faire les folies
Qu'on a fait
Qu'on fait toujours. Qu'on va faire
Encore.

Ensemble et chacun de son côté
Parce qu'on est têtu
Et qu'on veut les embêter.

À Jean Arceneaux, vendredi 7 mars 1986, à l'occasion d'Apostrophe.
Beware the Ides of March.

Haïku d'un après-midi de pluie

Grands coups de tonnerre
Tombés dans la cour tout près,
Vent d'est et la pluie.

21 août 1986, aux Chênes du Marais
deux grands coups tout près de la maison me faisaient sursauter.
le vent change brusquement de direction, la pluie en avalasse inonde par le chassis à l'est que je pensais ạ l'abri. avalasse durant un quart d'heure.
ensuite une couleur de ciel doux et la fraîcheur imprégnée partout.

Ça mouillait dans la cheminée

Ça mouillait dans la cheminée
Le feu plus dur à partir. .

Ça mouillait dans la cheminée
Vent du nord-est
À la mauvaise angle.

22 décembre 1986, aux Chênes du Marais.

J'ai pris une chaise

J'ai pris une chaise
Pour m'assir, grand Dieu,
Sous ton canopé de bleu clair,
M'assir dans ton jardin
Contempler les couleurs de ton hiver.

Une journée sans vent,
Sans aucune violence sur la prairie
Sauf les chiens jappant l'arrivée des invités,
Les veillées se préparent
Madame dans la cuisine, Monsieur traînant du bois
Pour la cheminée.

Mon cadeau de Noël, je l'ai reçu
Assis dans mon jardin, grand Dieu,
En haut, bleu clair et le chant des oiseaux,
Les jaunes pâles, rouille et orange
Le vert usé et les ombres s'élonger
Par terre.

24 décembre 1986, aux Chênes du Marais.

Le Phare

Comme le phare
Du havre vu
D'un bateau naviguant
Sur la prairie,
La lumière sur la
Galerie de mon
Voisin,
Vue de loin.

Comme si
Tout allait bien,
Comme si
Je rentrais de
Voyage.

28 mai 1987, aux Chênes du Marais, à Hubert Maître.

Le 12 juillet

Luciole sur la galerie
        Petite lumière surprise.

Éclairs sur l'horizon
        Au nord et
                À l'ouest.

27 juillet 1987, aux Chênes du Marais.

Est-ce que tu l'aurais vue

J'ai vu une luciole
Partir vers le nord-est, partie vers chez-vous
Est-ce qu'elle s'est rendue?

Sa lumière comme une écharde
Au coin de mon œil
Que j'aurais manquée
Sans mon ivresse,
Une étoire filante
Une perception figée,
La vérité étant
Ou bien projetée
Au ciel collée
Par-dessus ma vue
Regardant par là,
Quand je l'ai vue
Partie vers chez-vous.

1 août 1987, aux Chênes du Marais.

La différence

La différence entre
Hier au soir
Et ce soir
C'est que hier
Y'avait des ouaouarons,
Pis ce soir,
Y'en a pas.

16 août 1987, aux Chênes du Marais.

Poème pour toi

Étoiles pleines le ciel
    Cette nuit après
        Jongler à toi.

Transplanter

Faut transplanter en novembre
Après que la sève
S'est arrêtée de couler.

Faire l'amour en bas les couvertures,
L'hiver fait son appel.

II

Traversant le clos,
J'ai mis un coup d'œil
Pour voir comment
Ça s'arrangerait chez toi,
La boucane de ta cheminée
Allumée comme la mienne.

Tranchant du bois pour
Faire un pileau.

III

À 4 heures 33 du matin
26 jours et demi sans pluie
et enfin ça mouille.

IV

La nuit de la pleine lune,
Au bord du lac dansant.

7 novembre 1987, aux Chênes du Marais,
la soirée passée à Lac Arthur.

Piège piégé

à Jean Arceneaux

Des lucioles comme des étoiles
Filantes de côté
Parties vers chez toi encore.
Tu dois avoir
Un piège piégé.

12 mai 1988, aux Chênes du Marais.

Flèche

Travers cette prairie
        Cette nuit comme
                Flèche d'amour
Trace de rouge
        Sur le bout
                De ta bouche
Qui brûle
        Tes yeux bruns
                Qui m'égarent.

23 avril 1988, 2 h 40, aux Chênes du Marais.

L'ombre

Le vent est
        sur la prairie
                comme l'ombre
D'un chien errant
        le voyageur revenu
                de l'autre rive.
Silence dans cette
        grande maison seulement
                la brume dehors.

18 décembre 1987, aux Chênes du Marais.

Premières lucioles de la saison

Premières lucioles de la saison.
        j'en ai vu une chez Pauline,
j'en ai vu deux chez moi.

28 avril 1989, aux Chênes du Marais.

Première cigale de la saison

Mercredi la première
        cigale,
Aujourd'hui les premières
        lucioles de la saison.

Ils étaient trois
        à traverser
                la savanne
        le chien du voisin
Rendu fou par leur
        lumière et moi
Jappant aussi envers cette lune
        glacée.

19 avril 1991, aux Chênes du Marais.

Un vent de Carême

Un vent de Carême après
Siffler sur la prairie
Nuage vite traversait
La face de cette lune.

Chat noir couleur de
L'ombre de la nuit.

18 février 1989, aux Chênes du Marais.

Chanson du voyageur

La nuit, les chênes
        Veillent comme les
                Piquets d'une armée
Bien faisante et
        Les myrtilles jetent
                Leurs torches de fleurs
Éclairées bienvenues
        Revenues de la guerre
                Si tant voyagé
Enfin rendu.

20 juillet 1990, aux Chênes du Marais.

La Chanson du Bombouchеur

À six heures du matin
Le jour du Mardi Gras
Pu'd'musique apé jouer
Pu'd'feu dans la cheminée
Tous les fêtards apé ronfler
Parti moi tout seul.

Carnaval 1988.

Jamais

Chemin demain quitté
        Aujourd'hui la nuit
                La pluie le matin
Apé chasser clairté
        Le battement de mon cœur
                Le blanc chaud
De ton amour.

On est les enfants perdus
        Dûs de tomber
                Dûs de se retrouver
Dûs de faire l'amour
        Comme dûs de mourir
                La pluie qui
Frappe le chassis
        La nuit blanche
                Le paradis des foutus.

Ici dans la grotte de la folie
        Poète maudit et moi
                Apé boire du café
Peur de s'endormir
        Fuir sommeil lâcher
                Jamais lâcher
Jamais.

Trois versets pour toi

I

Deux lucioles froliquant
dans la pluie
Pas de maringouins
Ou proche pas,
l'été était
surprenant, les saisons
Pas comme elles devraient
le soir c'est
d'être seul
Qu'est dur.

II

Les critchets sont
contents la pluie
les a contenté
Leur train comme
le moteur du bon dieu
La nuit.

III

Même sans maringouins
y'en a toujours
les soirs sont
Pas mauvais mais
la nuit ils
sont plus en
Évidence.

À CT, 21 août 1988, aux Chênes du Marais.

La Danseuse

Toi, par le fait
        Que tu es danseuse,
                Tu danses. Tu es
Une avec l'univers. Tu es
        La pluie et le vent
                Tu es dans moi
Comme dans mon diaphragme
Comme dans mon ventre
Comme dans mes yeux
Comme dans ma langue
Comme dans mes veines
Comme dans mes jambes

et as'teur, la danse.

Ça fait plusieurs fois
        Que je te demande
                De suivre mon pas.
Mais ça ne travaille jamais.

22 juillet, Paname.

Bébé créole

L'autel de cette chaleur
Proie de la nuit,
Jeunes filles
Pleines de sueur
L'odeur de sexe
Leurs hanches
Les anses de mon plaisir
Tenues dans ma main
Sourire aperçu travers
Nuage d'ivresse,
Pressé contre ton ventre,
Sentir tes seins travers
Ta robe mouillée.

Pâques matinée

Silence sur la prairie
Lavée au savon de la
Lune.
Critchets chantent
Réveillant le moqueur
Bleu chanson et
Premières lucioles
De la saison.

19 avril 1992, aux Chênes du Marais.

Soudainement l'hiver

Soudainement l'hiver le
Chasseur volant dans
L'air le sang
Coulé entre tes jambes
Entre tes yeux
Entre tes lèvres
La fièvre
M'avait pris après
Minuit quelques jours
Avant Noël j'appelais
Ton nom trop souvent
Comme une sortie
De secours comme
Un bois de
Sauvetage les nuages
Collés contre la
Terre Orion volant
Dans l'est quadrant
Le quart de lune
Se couchait
Dans l'ouest.

13 décembre 1988, 11 h 41 PM, aux Chênes du Marais.
À Sirius, le Dog Star.

Par début octobre

Par début octobre
        les critchets chantaient encore
                mais c'est pas chaud
comme avant.

2 octobre, aux Chênes du Marais.

Bridge Down

Le pont du chemin
    Allant chez Louis Arceneaux
        Est fermé.
La paroisse n'a plus d'argent,
    Pas rien est pareil,
        Et je suis perdu
Au bout de Cockpit Road.

C'est un drôle d'été,
    Pas de maringouins
        Le 27 juillet
Malgré la pluie
    Qui tombe sur nos espoirs
        Depuis déjà
Longtemps.

C'est un drôle d'été,
    Un pèlerin revenu de loin,
        Assis sur ma galerie
La matin que la chenille mordante
    M'a mordu, son complice
        Dans l'aéroport de l'enfer
Me souhaitait bonjour
    Malgré sa haine, et
        Sur le pont
Allant chez Louis Arceneaux,
    Barrière de tchéroqués
        M'empêche d'aller
Plus loin.

Y'a des arbres à la poule
        Qu'après poussaient
                Travers l'asphalte, et
Sur le coteau des éclairs
        Qu'après éclaircir le pays.
                Je pense qu'à toi
Courant travers le clos
                Approchant le bayou,
Fonçant dedans, tombant
        Dans le cour d'eau
Comme sur la lame d'un couteau rouillé,
        Déchirée, te trouver sous le pont
Barrière de grands piquants
        Tout à l'entour.

Je pense qu'à toi.
        J'ai entendu ton cri,
                Ça fait «flaque»
Quand t'as tombé, le train
        De tes mains et de ton nez
                Tes yeux frappaient
Le fond, pendant que j'espérais
        Devant le pont, empêché d'avancer,
                Mes poings amarrés, ma témérité
Calée dans la boue.

Je pensais à moi-même:
Ils ont abandonné le pont,
Y'a plus d'argent,
Et pourtant pendant cent ans
On passait, et pourtant pendant
Encore plus de temps
On parlait le français de Louis Arceneaux
Dans ce pays déplumé
Comme une sarcelle
Dans sa chaudière, la fierté
De ceux qui sont plus forts,
De ceux qui nous ont surpris
Sur le platin un matin d'hiver.
Ils vont nous manger,
Assaisonnés à la faiblesse
Et à la honte.

Devant le pont
Allant chez Louis Arceneaux,
Je peux plus aller
Plus loin, l'ombre de ton cri
Passe comme un corbeau
Laissant une trace grise
Sur ce cœur
Déchiré aux ronces
Des tchéroqués.

À l'ouest du pont
Allant chez Louis Arceneaux
Et toi
De l'autre bord.

L'hiver est arrivé

L'hiver est arrivé
Au milieu de l'après-midi
Grand nuage couleur d'acier
Chassant une volée de tchoques
Un hibou et des perdrix.

Le vent capotait les baquets
Dans la cour et
Pas longtemps après,
Le froid et la pluie.

29 décembre 1990, aux Chênes du Marais.

Shells de Shotgun

Pour la première fois depuis toujours
Y'a eu de la publicité publiée le long
Du grand chemin dans cette Louisianne perdue.

Dans des lettres gros comme des bœufs
Ça disait:«La cartouche qui promet lagniappe».
Pour la première fois dans l'histoire
Les Américains publiaient leur publicité en français
Et c'était pour des shells de shotgun.

Ça me frappait drôle de ma délinquence bourgeoise,
La sauce de ton gigot sur ma cravate,
Rôtant ton vieux champagne dans le vent du nord.

Ça me frappait drôle comme y'a pas de chasseurs
Qui peuvent ni lire ni écrire même l'Américain
Et c'est donc pas d'entre eux l'origine de la faute.

Ce qui était encore plus drôle c'est que
C'était bien écrit sans erreur pas comme d'habitude
Comme nous avons l'habitude de mal écrire et de

Mal parler dans ce pays plus français du tout
Sauf que pour quelques vestiges comme moi et
Mon voisin qui m'avait invité manger du gibier et

Boire du vin et du café chez lui,
Sa femme m'embrassait bon soir dehors j'ai vu
Une affiche comme un troupeau d'anges dans

La chaudière du ciel vendant des cartouches
Pour chasseurs chassant une autre vérité.

II

Mon voisin fait un tas de train la nuit,
C'est un musicien. Mon autre voisin
Se couche de bonne heure. C'est un chasseur.

Moi, je suis qu'un bon vivant penché
Sur un jeu de société ou un verre de vin
Bu en compagnie de gentils monsieurs

Ou préférablement de jolies dames.
Imagine, donc, ma curiosité de voir écrit
Grand comme l'église de l'Évêque, le français

Sans faute sauf de continent. L'Amérique, ami,
Ne tolère plus la différence pendant que
Ses enfants ne peuvent pas s'empêcher de la chercher.

Drôle d'affaire, comme sera porter à dire mon
Grand-père s'il était encore parmi nous.
Le temps change. Le vent tourne de bord.

Le froid des âmes et des cœurs
Résonne dans les shopping malls et
Les parkings lots morts la nuit plus morts

Que le cimetière de mon grand-père
Qui m'envoye de l'autre côté
Un message bien écrit malgré lui,

Il me dit:«Je suis toujours là, mon nèg',
Et ma cartouche promet lagniappe».

à Jean Arceneaux, et Kerry Boutté.

Diable dans cœur

Diable dans mon cœur
        M'ayant trahi dans
                Une ville amicale
Prévoyance endormie
        Tranquille comme enfant
                Têtant sa mère.
On m'a pris par
        La nuque, secoué, m'a
                Traité de tous
Les injures, jeté,
        J'étais dans la rue
                Les durs pavés
Mon front rencontrant
        Mes espoirs détruits
                Épaillés comme
Les flocons de neige
        Tachés de sang
                Sur un fond de
Saleté et de gris
        J'appelais ton nom mais
                Personne répondait.

Dans la presque nuit
        À Bruxelles mon nez
                Pressé par terre
Les bourgeois rentraient
        Chez eux, gênés par
                L'enseigne de ma faiblesse
Marchant autour
        Les chauffeurs d'autobus
                Sacrant dans cette

Langue d'ouvrier mes
Deux bras sur une
Raille mes
Deux jambes sur l'autre.

Pleurais à l'envers
Sales larmes et chaudes
Faisant de la boue
Dans les rues de
La capitale des Belges
Bien aimés qui
Aujourd'hui ne me
Connaissent plus la
Reine me pisse
Dessus son amant ne me parle
Plus lui qui était
Mon meilleur ami
Y'a pas si longtemps.

Mais c'est de ma faute
Je le sais
Je le reconnais
Mais ce n'est pas
Moins souffrant pour
Autant d'amour gâché
Autant de prières priées
Même les chiens
Ne sniffent plus
La pisse de la Reine
Comme de la Geuze
Crottée sur mes
Pantalons séchants dans
Le vent les putes
Dans leurs vitrines
Ne cachaient même plus
Leurs rires.

Chez eux maudit
Pas le maudire des
Poètes, le maudire
Des lépreux la maladie
Pourrir le bout de mes
Doigts qui tombent
Dans ma bière,
Un bout de chair
Se pose délicatement
Au fond de mon verre.

J'aurais bien voulu crier
        D'envoyer des pavés
                Travers tous les fenêtres
De cette ville pourritte
        De violer toutes les
                Bourgeoises et de
Chier sur les autels
        De l'église de leur
                Indifférence.

(les fous se
        rencontrent dans le disco
                dans la ruelle donnant
sur la place St-Vitupère
        ou bien le bar
                des Cubains à côté)

Prêtre diable ange noir
        M'envoye au bar
                Sachant ce que
Je cherchais, j'avais
        envie de crier de
                Casser les tables
Mais je restais muet
        Prisonnier de mon
                Impuissance et
De mon hypocrisie.

Comment je peux
  Rectifier attaché
    Par les poignets
Et les chevilles
  Mis en disgrâce
    Dans la place publique
Les marins anglais
  Me crachaient dessus
    Entre leurs insultes
J'aurais jamais dû revenir
  Laisssant les gloires
    Des autres fois
Ramasser la poussière
  De l'oubli un pari
    Perdu le froid humide
De cette nuit
  Collé contre ma peau
    Comme une blessure.

J'aurais tout voulu
Sauf ça, le pas
Ivrogne le pied
Coincé dans les rails
Le tramway qui arrive
Dérive de chicane
Et de vin chagrin
Sans pitié et sans
Sommeil.

Quelque part dans le
Nord canadien,
Des Indiens
Chantent de mes
Chansons. J'irai
Plus les voir, pour que
Ma mémoire reste
Chez eux une
Chose de beauté.

Paname, 3 décembre 1988.

Le treize juillet

Le treize juillet
J'ai été piqué par
Chenille brûlante
Passé l'après-midi
Couché souffrant
Mon bras grand comme
Et couleur d'un melon doux.

Après souper, le temps
Descendait sur Grand Coteau
Canons de tonnerre
Bousculaient le pays
La terre tremblante
Sous les coups
D'un ciel fâché.

Ça faisait peur aux petites animaux
Réfugiés en bas les habitations
Ou cachés dans leurs cachoires
Noire la nuit chassée par l'éclair
La terre éclaircie
Comme si c'était plein jour
Le tonnerre tonnant
Les oiseaux figés silencieux
Dans la cheminée
Yeux grands ouverts.

Décharge négatif positif
Poésie pratique statique
Remplie d'énergie et
Prêt à exploser.

Bien assez de pluie
        Ce temps si maudit
                Les éternels nuages
Maudits cette saison
        Ce pays inondé désespoir
                Au marais la foudre
Tombait tout à l'entour.

Y'a longtemps mais pas si
        Longtemps, j'aurais prié Dieu
                Me sauver,
D'empêcher le tonnerre
        Ou bien me frapper
                Entre les yeux.

Mais cette fois-ci, je ne supplie
        Personne marchant dans la boue
                La tête découverte ma
Poitrine nue en pleine provocation
        Tuez-moi, si vous pouvez,
                Espèce de Grand Crachat
Qui ne peut pas faire pas rien.

Je suis las et fatigué
        Affaibli par venin d'insecte
                Cherchant plus grand coup
Souhaité mais pas reçu
        La foudre mon amour
                L'indifférence la
Pire des choses.

Mieux la mort que l'ennui
        Cette nuit ça dansait tout autour
                Tout autour sauf
Auprès de moi.

Rouge d'amour (Rouge de Namur) à Arthur Rimbaud

À la cathédrale de la Sainte Souffrance
Vomissant mes tripes
La croûte séchée sur ma manche
Pendant qu'on dormait par terre
La pierre froide et dure
La pure clairté
Trop cruelle pour cette saison,
Je t'aime,
J'ai tranché mon ventre pour toi,
L'odeur de merde et d'alcool.

Cette nuit à Namur
Les bourgeois cachés
Sous leurs couvertures
Isolés la vérité mise dehors
Sur le trottoir mais au bistro
Les endiablés leurs visages
Perdus couleur blanc
Leur sang teindre le
Couteau de la sauvage
Intransigeance, leurs dents
Noirs de fumée, leurs yeux
Jaunes et sans reconnaissance

Espoir de Bruxelles aux vitrines
        Les putes de la nuit désaffectée
                Les seins tombant les
Hanches violets et rouges
        La blessure d'amour
                À leurs lèvres et
Sur leurs sexes
        Je t'aime, je t'aime
                Et je veux te tuer
Parce qu'il faut aimer,
        Parce qu'il faut aimer
                Quelqu'un.

Taverne du Passage, Bruxelles, 27 novembre 1987.
St-Éloi, patron des ouvriers, faites de moi un bon travailleur.

Ronces dans la neige

Au long du mur
De ma petite chambre
La neige elle fond
Les ronces tombent
Leurs feuilles brûlées
Par cette première
Glace.

La nuit sur la colline
Marchant sur le chemin
Ni cri de chat
Ni jappe de chien
Seul un veau, la bouée
Sautant de ses narines
Dissipée travers couches
De noir humide et gris
Couleur de fin
Novembre.

Bruit de fête, de verres
Trinquants éclats gras
Autour d'une table
Chargée de plaisir
La chaleur des rires
Remplir le chassis
De brouillard.

Emeraude et bordeaux
        Lumière de diamant
                Insouciance au coin du
Feu pendant que
        Chien rongeur
                Marche le long
Du mur, les ronces
        Couleur de sang
                De rouge et de gris
Tachés sur le
        Blanc.

26 novembre 1987, Namur en Belgique, à Jésus Christ.

Le livreur

Vaillant vieux villageois
        Bamboucheur.
L'étincelle de tes yeux
        Allumés par ton whisky,
                Une jolie mélodie
Une belle jeune fille.
        Livreur sifflant un air
                Du temps passé.
Emmenant des petits paquets
        Enveloppés de pleines couleurs,
                Bourrés de chaleur
Canaille, demandant seulement
        Un petit peu à manger et
                Un petit peu à boire.

17 juin 1992, à Dewey Balfa.

La Vérité va peut-être te faire du mal

Victimes de nous-mêmes
étranglés à nos propres mains
parrain tu me battais
parler anglais pas parler français
pas parler rien du tout. Silence.
tais-toi, dérange pas. Behave yourself
cette fois une autre râclée qu'on se donne
battus au baton de notre tristesse
fouettés au fouet de notre chère souffrance:
les pauvres Cadiens souffrants
les pauvres Cadiens qu'ont perdu leur pays
qu'ont perdu leur langue
qu'ont perdu leur fierté
qu'on perdu tout court.

Bande de couillons pauvres pervertis
ici on parle ce qu'on veut et
je m'en fous si j'ai assez bu de te
révéler la vérité et la vérité c'est
qu'on a trop peur franchir barrière,
trop peur de fâcher le voisin,
on est trop civilizé, trop antiseptizé
trop américanizé, baptizé dans l'hypocrizie
la folie nous fait fléchir et tourner de bord
avec remord on s'est taillé un costume
de Sainte-Victime les pauvres Cadiens
chassés de leur pauvre pays dans les
pauvres bateaux, arrivés pauvres
aux pauvres côtes de cette pauvre rivière
pendant que ma pauvre grand-mère
chantait sa pauvre berceuse
pendant qu'on avait rien à manger
et qu'on était pauvre.

Bande de couillons, je voudrais planter
une bombe à Lafayette Electric,
brûler l'Oil Center. Si on est tant
persécuté, prenant la Maison de Court
refuge pour les réfugiés de la terre
faire du grand évêque otage à notre rage
si tu peux drive la char moi j'ai
les allumettes, bande de jupettes.

Comme si on pouvait s'excuser
de se laisser aller comme si y'avait une
raison pour notre pauvre sort
à part notre pauvre paresse et
un manque de couilles plus accomodant
faire semblant rester bien à l'abri
de notre mythologie coullionneuse les
pauvres Cadiens c'est pas eux c'est
les Anglais, c'est les Américains,
les fils de putain, mais, cher ami,
c'est pas ainsi, c'est pas eux,
c'est nous, c'est pas lui, c'est vous,
c'est pas toi, fils de putain, c'est
moi qu'a rien fait pour sauvegarder
français pendant deux cents ans.
c'est moi qu'a rien fait en 1755,
c'est moi qu'a choisi l'argent
le confort, c'est moi qui dort,
c'est moi qui veut pas déranger,
c'est moi, mon fils de putain, c'est moi.

En 1974, je pêtais feu, je bousculais la cabane,
je criais seul au long du bayou tard la nuit,
les habitants cachés derrière leurs portières
et dans leurs lits leurs couvertures couvrant
leurs yeux et leurs oreilles
et moi et ma misère au clair de la lune
la jogue au plombeau comme le cousin
qui boit de trop et qu'on voudrait pas
laisser rentrer mais qu'on peut pas
laisser dehors, peur qui va casser
le bric-à-brac mais n'aie pas peur, mes
vieilles poules, je me suis rangé, bien
présentable mes cheveux bien léchés mon
soute bien propre yes sir no ma'm, capable
d'aller en société polis, bande de couillons,
bande de goddamn sans couilles, bande de
has been, bande de rien du tout on s'en fout
s'habiller comme y'a cent ans
jouer les misérables faire les couillons
pour les touristes Américains, tu penses que
ton grand-père serait fier te voir
devant ton miroir déguisé en mangeur de
merde tu penses bien faire,
Ma Chère Empêcheuse, coonass coonass
danser comme il faut sans geste en dessus
de la taille, pas faire de fautes
pas pêter à table.

C'est pas de ta faute, c'est la faute des
Américains, c'est pas de ma faute, c'est
la faute à toi, bande de Catholiques
faudra trouver un coupable le goût de
merde écrasée comme une hostie sur
ta langue et dans ta bouche
singing folk songs of the
Louisiana Cajuns, bande de sourds.
It's not in here, bande de couillons,
It's out there, bande de sans couilles.
C'est pas le passé, bande de perdus,
c'est l'avenir; c'est pas les vieux,
bande de couillons, c'est les jeunes.

Tu dis sauver le français en salon de thé
le petit doigt levé puant la politesse
des coups de poings who gives a shit
c'est pas les French teachers,
c'est les terroristes,
c'est pas des journalistes,
c'est des fatras avec des allumettes.

À l'autel de la Sainte Persecution Complex,
Au nom de la merde, du pisse et du petit pipi,
Parle français, ou crève maudit.

La Danse du mouchoir

Cette nuit ma vieille grand-mère est venue danser dans la cuisine sur les quatre coins de mon mouchoir, faisant beaucoup de train, sa gueule fondue en grand sourire, poussant des petits cris, claquant ses talons par le plancher, sacrant dans la langue du roi que personne n'a parlé depuis qu'elle nous a quitté, provoquant mon père qui s'est élevé pour venir nous engueler jusqu'à ce qu'il s'est aperçu qui c'est que c'était et il s'est retourné se coucher pendant que moi et ma vieille grand-mère on dansait son gigue moi qui avait tellement de peine à suivre ses pas ses yeux brillants comme des étoiles filantes. Mon grand-père est arrivé en caricolant y'a pas longtemps après, on lui a donné une bouteille et le coin auprès du feu et de temps en temps il criait de l'encouragement mais autrement il se tenait tranquille à cause qu'il était enterré la tête en bas le robinet gouttant les gouttes qu'échappaient le baril. On dansait des valses, des valses à deux temps, des mazulkas, des polkas, et des pas de deux et enfin une quadrille quand leurs vieilles et vieux amis sont arrivés faisant fuir mon cher papa qui ne pouvait plus dormir pensant à l'ouvrage du lendemain le train de la soirée arrivé jusqu'aux voisins qui sont venus cogner sur la porte d'en avant. Ils avaient emmené un violon et du whisky la nuit qu'on a ouvert tous les portes et tous les chassis après minuit tapant sur les murs criant comme des sauvages et buvant comme des bœufs. Mes oncles Claude Cinquième et Charlé chantaient, Badé est tombé dans un coin ronflant par terre, le meilleur buveur du pays. On a mis des patates dans les cendres de la cheminée et de temps en temps on en sortait une pour la manger mais personne avait faim sauf mon oncle Edvard qui disait rien, le chemin bientôt remplis de deux ou trois milles personnes et la cour était noire d'humanité ressemblant plutôt une fromière. Tout le monde chantaient ensemble «T'es petite et t'es mignonne», plusieurs se roulaient par terre, d'autres montaient sur le toit, d'autres encore faisaient l'amour dans les tailles de ronces les piquants piquant leurs culs sans faire mal du tout. On a servi des biscuits que mon oncle Cinquième avait fait.

Tellement de monde y'avait que le plancher a courbé et le toit a commencé à faire pareil. La cour était pleine de traces de bogué et l'herbe était tellement hachouillée que malgré le beau temps et sec, les gens rentraient leurs bottes couvertes de boue. Je pensais que papa aimera pas ça, peut-être qu'il déménagera quelque part où c'est plus tranquille où ma veille grand-mère, sa belle-mère à lui ne pouvait plus nous trouver et n'aura pas l'occasion de l'embêter avec ses soirées. Elle se tenait les jupes à la main ses vieux bas des autres fois gartières tombées jusqu'aux œillets de ses vieux souliers musique à bouche, frippe babine les biscuits épaillant leur odeur comme une prière dans la chapelle de la cuisine. Passe-moi la bouteille, ami, j'aurais envie de faire une autre gigue et mon cœur battait à se fondre en plusieurs mais mes jambes restaient attachées sautant comme une grenouille enragée boing et boing prenant n'importe quel partenaire à la quadrille méli mélo, couleur de chapeau de paille usé, odeur de sueur d'habitant, coulée de folie entre mes jambes et dans ma tête la liqueur d'amour d'ivresse extase cordé comme du bois auprès de la cheminée je dansais tournant comme une toupie rond et rond marie don marie dé rond ton ton tournée tourne dansé é hé hoop pa la la ton ton ron ron autour é hé hoop la pa la la ton ton ron ron autour é hé hoop la pa la la ton ton ron ron ron ron aveuglé de tourdi ron ron marie ron hoop la ton ton devant derrière par terre debout par terre sauter dans l'air rouler par terre éclater de rire, sans pouvoir m'empêcher, la jogue au plombeau é hé ron ron jusqu'à ce que j'ai glissé sur le mouchoir trempé des mes larmes et j'ai tombé sur mon cul.

Quand je me suis réveillé au grand matin, j'étais tout seul avec mon mal de tête sauf que pour mon père qui nettoyait autour.

15 janvier 1993, aux Chênes du Marais.

Chêne vert

Chêne indomptable
        Envoyé racines loin autour.
Chêne, résisteur d'ouragan
        Le grand vent te fait guerre
Plier la tête.

Élégance et sauvage nature
        Ombre en été,
Verdure en hiver.

Chêne, je me repose
        sous tes branches.

27 décembre 1994, à Walt Whitman.

Mo mo l'aime ça

À l'anse aux cypres
Zaricot Jo dans la cabane,
Apé secouer le plancher,
Les filles apé criaient
Mo mo l'aime ça.

Quand mo gain seize ans
Mo pouvais danser
Toute la nuit,
Minuit jusqu'à l'aube,
Parti directe à la pelle
Faire grande journée
À la rame,
Mon âme fatiguée,
Mais mon corps sans
Manquer un coup.
Mais là qué
Mo vini voir seize ans
Mo mo fatigué tout le temps.
Quand mo et ma petite fille
Apé se confronter
Mo mo l'aime ça
Aller dans la maison
Faire l'amour
Jusqu'à konk out,
Jusqu'à perdre connaissance
Couri à l'anse au cypres
Zaricot Jo dans la cabane
Le plancher apé secouer
Mo mo l'aime ça
Quand les filles
Apé crier.

Mo mo l'aime ça pisser
En proche janvier
Contre poteau dehors
Comme dans l'été
Dans l'air conditionné
Douce racine
Gumbo dans la cuisine
L'Afrique dans mes hanches
Vini de l'autre
Bord du monde
Quand les filles apé crier.

Cypres vieux de deux cents ans
Célébration de mes seize ans
Envie perdre ma
Virginité ce soir
Dehors dans le noir
En bas la galerie
Quand il fait bon
Dehors en hiver
Comme dans l'été
Dans l'air conditionné,
Mo mo l'aime ça.

Fatras sous la galerie
La nuit piquée d'étoiles
Quand il m'a rentré dedans
À l'âge de seize ans
Pour la première fois
Ça m'a fait mal
Mais mo connais tout de suite
Que mo mo l'aimé ça.
Senti l'odeur
Du sang couler
Entre mes cuisses
La cabane apé sauter
Le ciel apé tourner trop vite
Autour l'étoile du nord
Plus fort que la racine
Deux cents ans de vieux
Mo mo l'aime ça
Mo mo l'aime ça.

27 décembre 1994, au large de Henderson,
paroisse St-Martin, à Kristi Guillory.

Depuis que j'ai aimé

Ce soir l'espoir de ma poésie
Dansait dans la cuisine
Comme une toupie pleine
De voracité et de fièvre
Pour me montrer comment
Je suis devenu vieux et
Bon pour aller me coucher dehors
Sur les ressorts d'un lit
Abandonné seule la mémoire
D'amour fait longtemps
Passer d'un bord à l'autre
Trop exigeant pour ces vieux os
Pour la hernie qui perce les
Intestins d'un ex-poète maudit
Vieux loup qu'a perdu ses dents
Qui n'arrive plus à hurler
Mais seulement à
Lâcher des soupirs,
Quand on a perdu sa touche,
Quand on a connu dix ans
De writer's block quand on a
Plus rien à dire qui vaut
La peine d'être dit
Assis sur la galerie avec
Les yeux vides collés à
Chaque char qui passe dans la rue
Emmenant des gens ailleurs,
Vers des histoires que je ne connaîtrai pas
Que j'imagine à peine,
La vie vécue travers les autres
Vieux loup se rappelant
Des anciennes batailles
Exagérant sa gloire.

Quand j'étais jeune la poésie
        Coulait de ma plume comme
La pisse après trop de bière,
        Au creux de la nuit jappant
Comme un chien errant, cassant
        Des chassis, agaçant les voisins,
Dansant avec Kali tout près,
        Et j'ai pas honte de ma
Bourgeoisie confortable c'est juste
        Que ça m'empêche d'avoir
Des choses à dire.

Pélicane déchirant sa poitrine
        Pour nourir ses poussants
Dans la mesure du temps
        Avant après pendant.
La nuit cassée par des camions
        Du chemin rêve hâlant
Illusions d'un bout du continent
        Américain à l'autre je vois
Le ciel noir avec étoiles
        Rouges, rien ne grouille
Sur la prairie chasseur
        Cherchant la vérité

Dans la cuisine nu avec
        Ma bite à la main
Pas si près mais plutôt loin,
        Use it or lose it la
Puissance mitigée par
trop de temps, trop de délinquence,
trop de masturbation, trop de
promesses cassées, trop de déceptions,
trop d'amis morts, trop de saisons
droguées, trop de paresse, trop
d'amertume, trop de rêves abandonnés,
trop de faiblesse, trop de mensonges,
trop de cœurs brûlés, trop de honte
trop de politesse, trop de distance
entre le danseur et la danse
ma transe pas assez profonde,
tourner en rond sans se soûler
pécher sans y croire
trop de temps depuis que j'ai aimé,
trop de temps depuis que j'ai aimé.

Migration

Troupeau d'ailes rouges,
Des centaines si pas des milliers,
Venant du nord viraient à
L'ouest nord ouest et revenus.
Quatre battements d'aile et glisse.

Les femelles couleur de vieux bronze,
Les mâles en noir brillant
Tachés rouge, feu à l'épaule.

Venant par douzaine se nouer
En multitude dans le cœur du clos voisin,
Nuage d'oiseaux noirs au ras de la savanne,
Ou rangés comme des bonbons
Dans les branches des arbres en flèches dénudées
Par ce début d'hiver.

Journée claire pour les observer
Monter comme le pilier à Moïse,
Cherchant la terre promise,
Toujours un à la traîne.

26 décembre 1994, aux Chênes du Marais.

Brûler la canne

Feu brûlé chez les voisins,
Odeur de boucane
Remplir ce crépuscule d'hiver.

Préparer le clos. Brûler la canne.

27 février 1994, aux Chênes du Marais.
Une fois la récolte est rentrée, on brûle les bouts de canne à sucre pour faire de l'engrais pour la prochaine plantation.

aigrette : casmerodius albus, grand oiseau blanc, habitué des marécages (95 cm.).
aile rouge : azelarius phœniceus, petit oiseau noir, les mâles sont distingués par une tache rouge vif à l'épaule.
arbre à flèche : petit arbre poussant sauvage. Les Amérindiens utilisaient les branches pour en faire leurs flèches.
arbres à la poule (sapium sabiferum) : Chinese tallow trees. Ont été importés de la Chine au XIXe leurs fruits étaient moulus pour nourrir les poules.
après : en train de, vis: après lire, en train de lire.
apé : version créole d'après.
assir : assoir.
avalasse : averse, pluie violente.
barbu : poisson chat.
bogué : (venant de l'anglais buggy) voiture tirée par un cheval.
char : voiture.
clos : champ.
cocodris : aligator, venu de l'Espagnol: cocodrillo.
coon ass : Un nom péjoratif pour désigner les Cajuns de la Louisianne. Pendant la deuxième guerre mondiale, les francophones de la Louisianne ont servi comme traducteurs entre les armées américaine et française. En entendant l'insulte «conasse», ils l'ont adopté à leur expérience et ont ajouté au lexique louisiannais ce terme insultant.
critchet : grillon.
cypres : cyprès.
espérer : attendre.
fatras : un bon à rien.
fromis : fourmis.
feurset : chordeiles minor, oiseau qui vit la nuit, connu pour un vol acrobatique au crépuscule (24 cm).
grive : turdus migratorius, rouge gorge, connu pour se bourrer de boules de confriet, un baie qui a un effet d'ivresse, donc soûl comme une grive (22 cm.).

gaime : coq de combat, venu de l'anglais: game cock.
jongler : penser, viz: je jongle à toi, je pense à toi.
jogue à plombeau : bouteille à la bouche, donc en train de boire de l'alcool.
kildie : charadruis vociferus, pluvier, habitué des terres agricoles, bruyant avec un cris perçant (23-28 cm.).
lagniappe : Cadeau de commerce coutumier de la Louisianne. Suite à un achat, le commerçant donnait un peu plus de ce qui avait été acheté. Ceci est «lagniappe».
marlion : falco sparverius, petit oiseau de proie (23-30 cm.).
maringouin : moustique.
outarde : branta canadensis, oie migrateur (63-108 cm.).
ouaouaron - rana catesbiana, un batrachia ressemblant une énorme grenouille à la peau tachée, faisant un son qui ressemble un «ouaouaron».
paroisse : la juridiction gouvernamentale en Louisianne.
rabourer : labourer.
Saint-Médard : La Saint-Médard est le 8 juin. Selon les croyances, s'il pleut le jour de la Saint-Médard, suivra quarante jours de pluie.
soute : costume d'homme, un complet.
tcheroqués : buisson de roses blanches sauvages piquantes. Ils servaient de barrières pour les premiers habitants de la prairie du Sud-ouest de la Lousianne.
tchoque : euphagus carolinus, oiseau noir commun, voyageant toujours en énorme troupeau, connu pour ne pas être particulièrement intelligent (20 cm.).
train : bruit.
vini : venir; le Créole louisiannais est appellé le «Couri, Gain, Vini» pour les trois verbes aller, avoir et venir, donc, «mo couri» - je vais, «mo gain», j'ai, et «mo vini», je viens.

Au contraire du lexique commun, j'écris Louisianne *avec 2 «n» (de la façon originale) non pas pour honorer Anne d'Autriche, femme de Louis XIV, mais parce que je trouve ça tout simplement plus joli.*

COLLECTION POÉSIE:

Anthologie	*Poésie acadienne contemporaine*
Guy Arsenault	*Acadie Rock*
Marc Arseneau	*À l'antenne des oracles*
Georges Bourgeois	*Les Îles Fidji dans la baie de Cocagne*
Huguette Bourgeois	*Les Rumeurs de l'amour*
Herménégilde Chiasson	*Miniatures*
	Vermeer
	Existences
Fredric Gary Comeau	*Trajets*
	Ravages
	Intouchable
	Stratagèmes de mon impatience
Louis Comeau	*Moosejaw*
Rose Després	*Fièvre de nos mains*
Daniel Dugas	*Le Bruit des choses*
	L'Hara-kiri de Santa Gougouna
Jean-Marc Dugas	*Notes d'un Maritimer à Marie-la-Mer*
Judith Hamel	*En chair et en eau*
Ulysse Landry	*L'Espoir de te retrouver*
Gérald Leblanc	*Éloge du chiac*
	Complaintes du continent
	Les Matins habitables
	Comme un otage du quotidien
Monique LeBlanc	*Joanne d'où Laurence*
Raymond Guy LeBlanc	*La mer en feu (poèmes 1964-1992)*
Dyane Léger	*Comme un boxeur dans une cathédrale*
	Les anges en transit
	Graines de fées
Martin Pître	*À s'en mordre les dents*
Marc Poirier	*Avant que tout' disparaisse*
Maurice Raymond	*La soif des ombres*
Mario Thériault	*Vendredi Saint*
	Échographie du Nord
Collectif	*L'Événement Rimbaud*
Collectif	*Les Cent lignes de notre américanité*

Collection Prose :

Jean Babineau	*Bloupe*
Ulysse Landry	*Sacrée Montagne de fou*
Gérald Leblanc	*Moncton Mantra*
Martin Pître	*L'Ennemi que je connais*
Mario Thériault	*Terre sur mer*

Collection Essai :

Léonard Forest	*La Jointure du temps*
Alain Masson	*Lectures acadiennes (articles et comptes rendus sur la littérature acadienne depuis 1972)*

Collection Acadie Tropicale :

Zachary Richard	*Faire récolte*

Table des matières

Achevé d'imprimer en mai 1999 chez
VEILLEUX
IMPRESSION À DEMANDE INC.
à Longueuil, Québec